도토리 키 재기

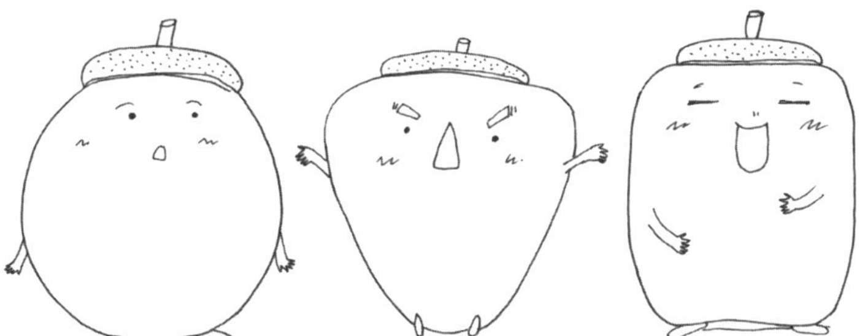

둥근 도토리가
키를 재고 있어요.

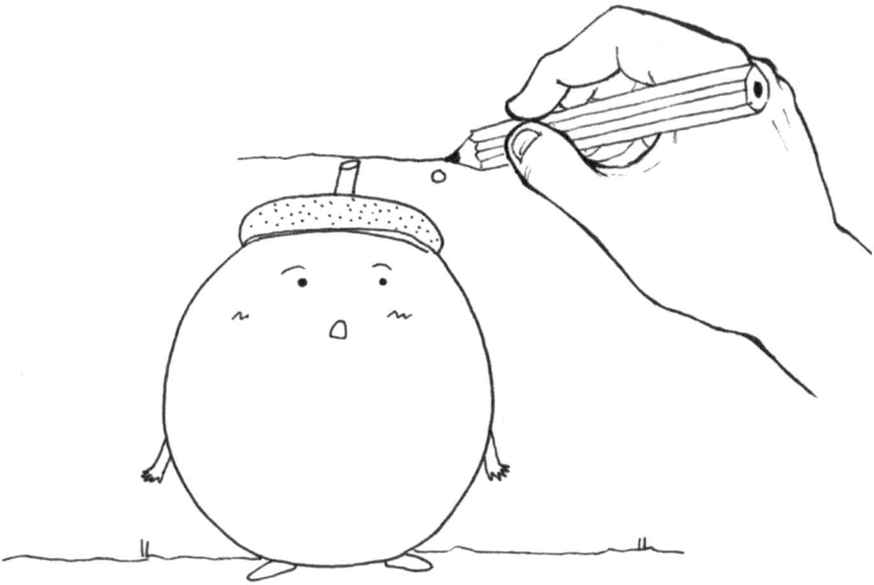

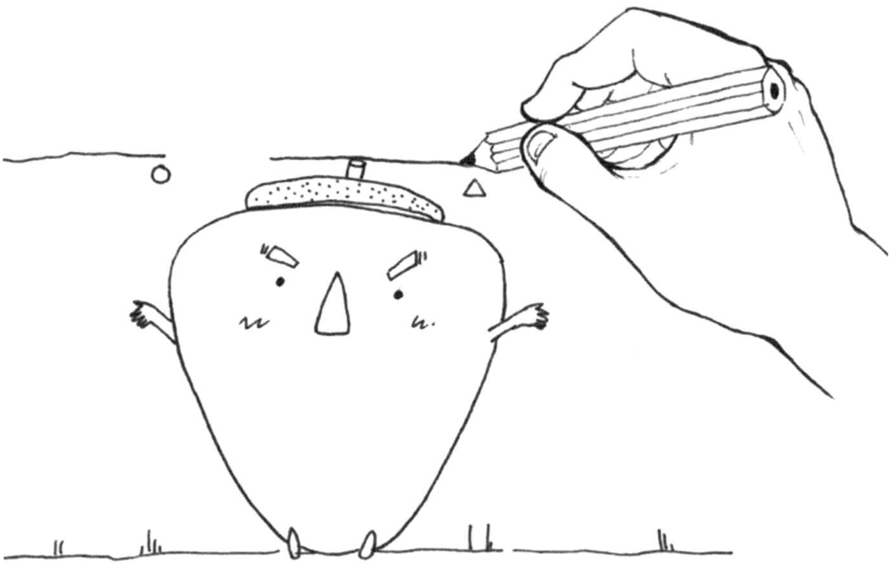

세모난 도토리가
키를 재고 있어요.

네모난 도토리가
키를 재고 있어요.

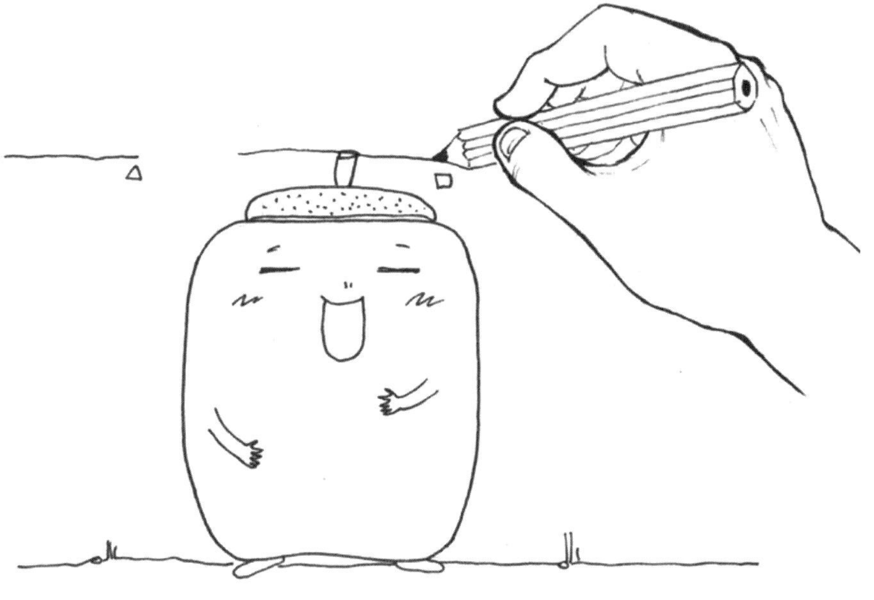

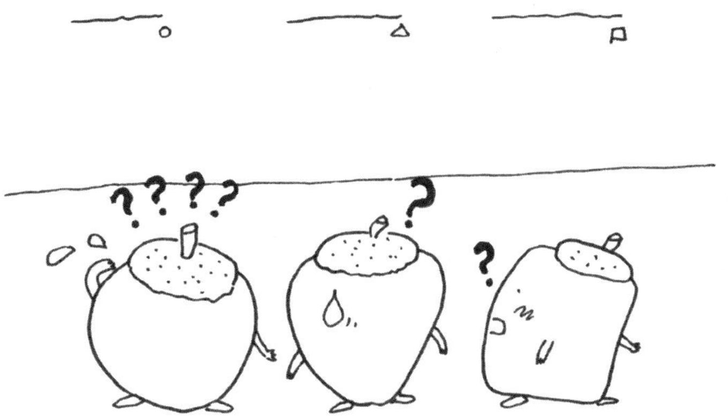

누가 제일 클까요?